La reina Isabel II

La vida, la época y el glorioso reinado de 70 años de la icónica monarca de platino de Inglaterra (1926-2022) - Su lucha por la Casa de Windsor y la debacle de los papeles del Palacio Real

Prensa Real Inglesa

Introducción

¿Quiere saber todo lo que hay que saber sobre la Reina Isabel II?

La reina Isabel II murió en 2022, a la edad de noventa y seis años. Ha sido la monarca británica que más tiempo ha reinado en la historia y su muerte deja un gran vacío en la familia real británica. La muerte de la reina puso a la nación de luto. La reina será recordada por su largo reinado, su dedicación a su país y su amor por su familia.

Este libro cuenta la historia de una de las mujeres más emblemáticas y fascinantes de la historia. Isabel II forma parte de la monarquía británica desde hace más de 70 años y su reinado ha experimentado cambios increíbles. Lea todo sobre su vida, su época y su glorioso reinado en este completo libro.

En 1926, una joven llamada Elizabeth Alexandra Mary nació del rey Jorge V y la reina María de Inglaterra. Era la tercera hija y la segunda de la pareja real, y heredaría el trono tras la muerte de su padre en 1936. Isabel reinó como reina de Inglaterra durante 70 años, convirtiéndose en una de las monarcas más longevas de la historia de Inglaterra.

También llegaría a ser una de las más queridas. Incluso al principio de su reinado, Isabel demostró ser una líder fuerte y capaz, ayudando a guiar al país durante la Segunda Guerra

Mundial. Una vez terminada la guerra, se dedicó a reconstruir la destrozada economía inglesa y a crear un nuevo sistema de bienestar social. También trabajó para reforzar los lazos de la monarquía con el pueblo, visitando todos los rincones de su país y ganándose el cariñoso apodo de "la Reina del Pueblo".

A lo largo de su largo reinado, Isabel se ha enfrentado a muchos retos, como divorcios, escándalos e incluso un intento de asesinato. Pero siempre se ha mantenido digna y firme, ganándose el respeto y la admiración de sus súbditos. En 2002, Isabel se convirtió en la monarca británica que más tiempo ha reinado en la historia, dejando un legado duradero como una de las monarcas más emblemáticas de Inglaterra.

Conozca toda la debacle de los Royal Palace Papers que ocurrió cerca del final de su reinado. Fue una gran controversia que ocupó los titulares de todo el mundo y que reveló información interesante sobre la reina y su familia.

Índice de contenidos

Isabel II

Isabel II (Elizabeth Alexandra Mary; nacida el 21 de abril de 1926) es la Reina del Reino Unido y de otros 14 países soberanos.

Isabel nació en Mayfair, Londres, como primera hija del Duque y la Duquesa de York (más tarde el Rey Jorge VI y la Reina Isabel). Su padre accedió al trono en 1936 tras la abdicación de su hermano, el rey Eduardo VIII, lo que convirtió a Isabel en presunta heredera. Recibió educación privada en su casa y comenzó a desempeñar funciones públicas durante la Segunda Guerra Mundial, sirviendo en el Servicio Territorial Auxiliar. En noviembre de 1947 se casó con Philip Mountbatten, antiguo príncipe de Grecia y Dinamarca, y su matrimonio duró 73 años, hasta su muerte en abril de 2021. Tuvieron cuatro hijos juntos: Carlos, príncipe de Gales; Ana, princesa real; el príncipe Andrés, duque de York; y el príncipe Eduardo, conde de Wessex.

A la muerte de su padre, en febrero de 1952, Isabel, que entonces tenía 25 años, se convirtió en reina regente de siete países independientes de la Commonwealth: Reino Unido, Canadá, Australia, Nueva Zelanda, Sudáfrica, Pakistán y Ceilán (hoy conocido como Sri Lanka), así como en Jefa de la Commonwealth. Isabel ha reinado como monarca constitucional en medio de grandes cambios políticos, como los disturbios en Irlanda del Norte, la descentralización en el Reino Unido, la descolonización de África y la adhesión del Reino Unido a las Comunidades Europeas y su retirada de la Unión Europea. El número de sus reinos ha variado a lo largo del tiempo, ya que los territorios se han independizado y algunos reinos se han convertido en repúblicas. Sus numerosas visitas y reuniones históricas incluyen visitas de Estado a China en 1986, a Rusia en 1994, a la República de Irlanda en 2011, y visitas a o de cinco papas.

Entre los acontecimientos más significativos figuran la coronación de Isabel en 1953 y las celebraciones de sus jubileos de plata, oro, diamante y platino en 1977, 2002, 2012 y 2022, respectivamente. Isabel es la monarca británica más longeva y que más tiempo ha reinado, la jefa de Estado más antigua y que más tiempo ha permanecido en el cargo, y está considerada la segunda monarca soberana que más tiempo ha reinado en la historia del mundo. Se ha enfrentado a un sentimiento republicano ocasional y a las críticas de los medios de comunicación hacia su familia, especialmente tras las rupturas de los matrimonios de sus hijos, su *annus horribilis* en 1992 y la muerte de su ex nuera Diana, Princesa de Gales, en 1997. Sin embargo, el apoyo a la monarquía en el Reino Unido sigue siendo elevado, al igual que su popularidad personal.

Primeros años de vida

Isabel nació a las 02:40 (GMT) del 21 de abril de 1926, durante el reinado de su abuelo paterno, el Rey Jorge V. Su padre, el Duque de York (más tarde Rey Jorge VI), era el segundo hijo del Rey. Su madre, la duquesa de York (más tarde reina Isabel la Reina Madre), era la hija menor del aristócrata escocés Claude Bowes-Lyon, decimocuarto conde de Strathmore y Kinghorne, en cuya casa de Londres (17 Bruton Street, Mayfair) nació por cesárea. Fue bautizada por el arzobispo anglicano de York, Cosmo Gordon Lang, en la capilla privada del Palacio de Buckingham el 29 de mayo, y recibió el nombre de Elizabeth en honor a su madre; Alexandra en honor a su bisabuela paterna, que había fallecido seis meses antes; y Mary en honor a su abuela paterna. Llamada "Lilibet" por su familia cercana, basándose en cómo se llamaba a sí misma al principio, fue muy querida por su abuelo, Jorge V, al que llamaba cariñosamente "Abuelo Inglaterra", y sus visitas regulares durante su grave enfermedad en 1929 fueron acreditadas por la prensa popular y por biógrafos posteriores para levantar su ánimo y ayudar a su recuperación.

La única hermana de Isabel, la princesa Margarita, nació en 1930. Las dos princesas fueron educadas en casa bajo la supervisión de su madre y su institutriz, Marion Crawford. Las clases se concentraban en historia, lengua, literatura y música. Crawford publicó en 1950 una biografía de los años de infancia de Isabel y Margarita, titulada *Las princesitas*, para consternación de la familia real. El libro describe el amor de Isabel por los caballos y los perros, su orden y su actitud de responsabilidad. Otros se hicieron eco de estas observaciones: Winston Churchill describió a Isabel cuando tenía dos años como "un personaje. Tiene un aire de autoridad y reflexión asombroso en un bebé". Su prima Margaret Rhodes la describió como "una niña alegre, pero fundamentalmente sensata y bien educada".

Presunto heredero

Durante el reinado de su abuelo, Isabel era la tercera en la línea de sucesión al trono británico, detrás de su tío Eduardo y de su padre. Aunque su nacimiento suscitó el interés del público, no se esperaba que se convirtiera en reina, ya que Eduardo era todavía joven y probablemente se casaría y tendría sus propios hijos, que precederían a Isabel en la línea de sucesión. Cuando su abuelo murió en 1936 y su tío la sucedió como Eduardo VIII, ella se convirtió en la segunda en la línea de sucesión al trono, después de su padre. Ese mismo año, Eduardo abdicó, después de que su propuesta de matrimonio con la socialité divorciada Wallis Simpson provocara una crisis constitucional. En consecuencia, el padre de Isabel se convirtió en rey, tomando el nombre regio de Jorge VI. Como Isabel no tenía hermanos, se convirtió en presunta heredera. Si sus padres hubieran dado a luz a un hijo, éste habría sido el heredero aparente y estaría por encima de ella en la línea de sucesión, que en aquella época estaba determinada por la primogenitura de preferencia masculina.

Isabel recibió clases particulares de historia constitucional de Henry Marten, vicerrector del Eton College, y aprendió francés con una serie de institutrices nativas. Se formó una compañía de guías, la 1ª Compañía del Palacio de Buckingham, para que pudiera relacionarse con chicas de su edad. Más tarde, se inscribió como guardiana del mar.

En 1939, los padres de Elizabeth hicieron una gira por Canadá y Estados Unidos. Al igual que en 1927, cuando recorrieron Australia y Nueva Zelanda, Elizabeth permaneció en Gran Bretaña, ya que su padre la consideraba demasiado joven para realizar giras públicas. Parecía "llorosa" cuando sus padres se marcharon. Mantuvieron correspondencia con regularidad, y ella y sus padres hicieron la primera llamada telefónica transatlántica real el 18 de mayo.

Segunda Guerra Mundial

En septiembre de 1939, Gran Bretaña entró en la Segunda Guerra Mundial. Lord Hailsham sugirió que las princesas Isabel y Margarita fueran evacuadas a Canadá para evitar los frecuentes bombardeos aéreos de *la Luftwaffe* sobre Londres. Esto fue rechazado por su madre, que declaró: "Las niñas no se irán sin mí. Yo no me iré sin el Rey. Y el Rey nunca se irá". Las princesas permanecieron en el castillo de Balmoral, Escocia, hasta la Navidad de 1939, cuando se trasladaron a Sandringham House, Norfolk. De febrero a mayo de 1940, vivieron en Royal Lodge, Windsor, hasta que se trasladaron al castillo de Windsor, donde vivieron la mayor parte de los cinco años siguientes. En Windsor, las princesas representaron pantomimas en Navidad a beneficio del Queen's Wool Fund (Fondo de la Lana de la Reina), que compraba hilo para tejer prendas militares. En 1940, Isabel, de 14 años, hizo su primera emisión de radio durante la *Hora de los Niños* de la BBC, dirigiéndose a otros niños que habían sido evacuados de las ciudades. Afirmó: "Estamos tratando de hacer todo lo posible para ayudar a nuestros valientes marineros, soldados y aviadores, y estamos tratando también de soportar nuestra propia parte del peligro y la tristeza de la guerra. Sabemos, cada uno de nosotros, que al final todo estará bien".

En 1943, Isabel realizó su primera aparición pública en solitario en una visita a la Guardia de Granaderos, de la que había sido nombrada coronel el año anterior. Al acercarse a su 18° cumpleaños, el Parlamento modificó la ley para que pudiera actuar como uno de los cinco Consejeros de Estado en caso de incapacidad o ausencia de su padre en el extranjero, como su visita a Italia en julio de 1944. En febrero de 1945 fue nombrada subalterna segunda honoraria del Servicio Territorial Auxiliar con el número de servicio 230873. Se formó como conductora y mecánica y, cinco meses después, recibió el rango de subcomandante honorario (equivalente femenino a capitán en aquella época).

Al final de la guerra en Europa, en el Día de la Victoria en Europa, Isabel y Margarita se mezclaron de incógnito con la multitud que celebraba en las calles de Londres. Elizabeth dijo más tarde en una rara entrevista: "Le pedimos a mis padres si podíamos salir y ver por nosotros mismos. Recuerdo que nos aterrorizaba que nos reconocieran... Recuerdo las filas de desconocidos que se unían en brazos y caminaban por Whitehall, todos arrastrados por una marea de felicidad y alivio".

Durante la guerra, se elaboraron planes para aplacar el nacionalismo galés afiliando a Isabel más estrechamente con Gales. Las propuestas, como la de nombrarla Condestable del Castillo de Caernarfon o patrona del Urdd Gobaith Cymru (la Liga Galesa de la Juventud), fueron abandonadas por varias razones, entre ellas el temor a asociar a Isabel con los objetores de conciencia del Urdd en un momento en que Gran Bretaña estaba en guerra. Los políticos galeses sugirieron que fuera nombrada Princesa de Gales al cumplir 18 años. El Ministro del Interior, Herbert Morrison, apoyó la idea, pero el Rey la rechazó porque consideraba que ese título pertenecía únicamente a la esposa de un Príncipe de Gales y el Príncipe de Gales siempre había sido el heredero. En 1946 ingresó en el Gorsedd of Bards en el Eisteddfod Nacional de Gales.

La princesa Isabel realizó su primera gira por el extranjero en 1947, acompañando a sus padres por el sur de África. Durante la gira, en una transmisión a la Commonwealth británica en su 21° cumpleaños, hizo la siguiente promesa: "Declaro ante todos vosotros que toda mi vida, sea larga o corta, estará dedicada a vuestro servicio y al servicio de nuestra gran familia imperial a la que todos pertenecemos". El discurso fue escrito por Dermot Morrah, periodista de *The Times*.

Matrimonio

Isabel conoció a su futuro marido, el Príncipe Felipe de Grecia y Dinamarca, en 1934 y de nuevo en 1937. Eran primos segundos por línea directa del rey Christian IX de Dinamarca y primos terceros por línea directa de la reina Victoria. Tras conocerse por tercera vez en el Royal Naval College de Dartmouth en julio de 1939, Isabel -aunque sólo tenía 13 años- dijo que se había enamorado de Felipe, y comenzaron a intercambiar cartas. Ella tenía 21 años cuando se anunció oficialmente su compromiso el 9 de julio de 1947.

El compromiso no estuvo exento de controversia; Felipe no tenía solvencia económica, había nacido en el extranjero (aunque era un súbdito británico que había servido en la Marina Real durante la Segunda Guerra Mundial) y tenía hermanas que se habían casado con nobles alemanes con vínculos nazis. Marion Crawford escribió: "Algunos de los consejeros del Rey no lo consideraban lo suficientemente bueno para ella. Era un príncipe sin hogar ni reino. Algunos de los periódicos tocaron largas y fuertes melodías en la cuerda del origen extranjero de Felipe". Las biografías posteriores informaron de que la madre de Isabel tenía reservas sobre la unión inicialmente, y se burlaba de Felipe como "El Huno". Sin embargo, más adelante, la Reina Madre dijo al biógrafo Tim Heald que Felipe era "un caballero inglés".

Antes del matrimonio, Felipe renunció a sus títulos griego y danés, se convirtió oficialmente de la ortodoxia griega al anglicanismo y adoptó el estilo de *teniente Felipe Mountbatten*, tomando el apellido de la familia británica de su madre. Poco antes de la boda, fue creado Duque de Edimburgo y se le concedió el estilo de *Su Alteza Real.* Isabel y Felipe se casaron el 20 de noviembre de 1947 en la Abadía de Westminster. Recibieron 2.500 regalos de boda de todo el mundo. Isabel necesitó cupones de racionamiento para comprar el material de su vestido (que fue diseñado por Norman Hartnell) porque Gran Bretaña aún no se había recuperado completamente de la devastación de la guerra. En la Gran Bretaña de la posguerra, no era aceptable que los parientes alemanes de Felipe, incluidas sus tres hermanas supervivientes, fueran invitados a la boda. Tampoco se invitó al duque de Windsor, antiguo rey Eduardo VIII.

Isabel dio a luz a su primer hijo, el príncipe Carlos, el 14 de noviembre de 1948. Un mes antes, el Rey había expedido cartas patentes que permitían a sus hijos utilizar el estilo y el título de príncipe o princesa real, al que de otro modo no habrían tenido derecho porque su padre ya no era un príncipe real. El 15 de agosto de 1950 nació una segunda hija, la princesa Ana.

Tras su boda, la pareja alquiló Windlesham Moor, cerca del castillo de Windsor, hasta julio de 1949, cuando fijaron su residencia en Clarence House, en Londres. Entre 1949 y 1951, el Duque de Edimburgo estuvo destinado en la colonia británica de Malta como oficial de la Marina Real. Él y Elizabeth vivieron intermitentemente en Malta durante varios meses en la aldea de Gwardamanġa, en Villa Guardamangia, la casa alquilada del tío de Felipe, Lord Mountbatten. Sus dos hijos permanecieron en Gran Bretaña.

Reinado

Adhesión y coronación

La salud de Jorge VI empeoró durante 1951, e Isabel le sustituyó con frecuencia en actos públicos. Cuando realizó una gira por Canadá y visitó al presidente Harry S. Truman en Washington, D.C., en octubre de 1951, su secretario privado, Martin Charteris, llevó un borrador de declaración de adhesión en caso de que el Rey falleciera mientras ella estaba de gira. A principios de 1952, Isabel y Felipe emprendieron una gira por Australia y Nueva Zelanda pasando por Kenia. El 6 de febrero de 1952, acababan de regresar a su casa de Kenia, Sagana Lodge, tras pasar una noche en el Treetops Hotel, cuando llegó la noticia de la muerte de Jorge VI y el consiguiente acceso de Isabel al trono con efecto inmediato. Felipe comunicó la noticia a la nueva reina. Ella optó por mantener el nombre de Isabel como nombre regio, por lo que fue llamada Isabel II, lo que ofendió a muchos escoceses, ya que era la primera Isabel que gobernaba en Escocia. Fue proclamada reina en todos sus reinos y la comitiva real se apresuró a regresar al Reino Unido. Isabel y Felipe se instalaron en el Palacio de Buckingham.

Con la llegada de Isabel, parecía probable que la casa real llevara el nombre del duque de Edimburgo, de acuerdo con la costumbre de que la esposa tomara el apellido del marido al casarse. Lord Mountbatten abogó por el nombre de Casa de *Mountbatten*. Felipe sugirió Casa *de Edimburgo*, por su título ducal. El primer ministro británico, Winston Churchill, y la abuela de Isabel, la reina María, se mostraron partidarios de mantener la Casa de Windsor, por lo que Isabel emitió una declaración el 9 de abril de 1952 por la que *Windsor* seguiría siendo el nombre de la casa real. El Duque se quejó: "Soy el único hombre del país al que no se le permite dar su nombre a sus propios hijos". En 1960 se adoptó el apellido *Mountbatten-Windsor* para los descendientes por línea masculina de Felipe e Isabel que no llevan títulos reales.

En medio de los preparativos para la coronación, la princesa Margarita le dijo a su hermana que deseaba casarse con Peter Townsend, un divorciado 16 años mayor que ella y con dos hijos de su anterior matrimonio. La Reina les pidió que esperaran un año; en palabras de su secretario privado, "la Reina era naturalmente comprensiva con la Princesa, pero creo que pensaba - esperaba- que con el tiempo el asunto se apaciguaría". Los políticos de alto nivel estaban en contra del matrimonio y la Iglesia de Inglaterra no permitía volver a casarse después del divorcio. Si Margarita hubiera contraído un matrimonio civil, se habría esperado que renunciara a su derecho de sucesión. Margarita decidió abandonar sus planes con Townsend.

A pesar del fallecimiento de la Reina María el 24 de marzo de 1953, la coronación se llevó a cabo el 2 de junio, tal y como había solicitado María antes de morir. La ceremonia de coronación en la Abadía de Westminster, a excepción de la unción y la comunión, fue televisada por primera vez. Por orden de Isabel, su vestido de coronación fue bordado con los emblemas florales de los países de la Commonwealth.

La evolución continua de la Commonwealth

A partir del nacimiento de Isabel, el Imperio Británico continuó su transformación en la Mancomunidad de Naciones. En el momento de su acceso, en 1952, su papel como jefa de múltiples estados independientes ya estaba establecido. En 1953, la Reina y su marido se embarcaron en una vuelta al mundo de siete meses, visitando 13 países y recorriendo más de 40.000 millas (64.000 kilómetros) por tierra, mar y aire. Se convirtió en la primera monarca reinante de Australia y Nueva Zelanda en visitar esas naciones. Durante la gira, las multitudes fueron inmensas; se calcula que tres cuartas partes de la población de Australia la vieron. A lo largo de su reinado, la Reina ha realizado cientos de visitas de Estado a otros países y giras por la Commonwealth; es la Jefa de Estado que más ha viajado.

En 1956, los primeros ministros británico y francés, Sir Anthony Eden y Guy Mollet, discutieron la posibilidad de que Francia se uniera a la Commonwealth. La propuesta nunca fue aceptada y al año siguiente Francia firmó el Tratado de Roma, que estableció la Comunidad Económica Europea, precursora de la Unión Europea. En noviembre de 1956, Gran Bretaña y Francia invadieron Egipto en un intento finalmente infructuoso de capturar el Canal de Suez. Lord Mountbatten dijo que la Reina se oponía a la invasión, aunque Eden lo negó. Eden dimitió dos meses después.

La ausencia de un mecanismo formal dentro del Partido Conservador para elegir a un líder significó que, tras la dimisión de Eden, le correspondió a la Reina decidir a quién encargar la formación de un gobierno. Eden le recomendó que consultara a Lord Salisbury, el Presidente del Consejo. Lord Salisbury y Lord Kilmuir, el Lord Canciller, consultaron al Gabinete Británico, a Churchill y al Presidente del Comité de 1922, y la Reina nombró al candidato que ellos recomendaban: Harold Macmillan.

La crisis de Suez y la elección del sucesor de Eden dieron lugar, en 1957, a la primera gran crítica personal a la Reina. En una revista, de la que era propietario y editor, Lord Altrincham la acusó de estar "fuera de onda". Altrincham fue denunciado por figuras públicas y abofeteado por un miembro del público horrorizado por sus comentarios. Seis años más tarde, en 1963, Macmillan dimitió y aconsejó a la Reina que nombrara al conde de Home como primer ministro, consejo que ella siguió. La Reina volvió a ser criticada por nombrar al primer ministro siguiendo el consejo de un pequeño número de ministros o de un solo ministro. En 1965, los conservadores adoptaron un mecanismo formal para elegir a un líder, liberándola así de su participación.

En 1957, Isabel realizó una visita de Estado a Estados Unidos, donde se dirigió a la Asamblea General de las Naciones Unidas en nombre de la Commonwealth. En la misma gira, inauguró el 23º Parlamento canadiense, convirtiéndose en la primera monarca de Canadá en abrir una sesión parlamentaria. Dos años más tarde, únicamente en calidad de Reina de Canadá, volvió a visitar Estados Unidos y realizó una gira por Canadá. En 1961, realizó una gira por Chipre, India, Pakistán, Nepal e Irán. En una visita a Ghana ese mismo año, desestimó los temores por su seguridad, a pesar de que su anfitrión, el

Presidente Kwame Nkrumah, que la había sustituido como jefe de Estado, era un objetivo de los asesinos. Harold Macmillan escribió: "La Reina ha estado absolutamente decidida en todo momento... Está impaciente por la actitud hacia ella de tratarla como ... una estrella de cine ... Tiene, en efecto, 'el corazón y el estómago de un hombre' ... Ama su deber y quiere ser una reina". Antes de su gira por partes de Quebec en 1964, la prensa informó de que extremistas del movimiento separatista de Quebec estaban tramando el asesinato de Isabel. No hubo ningún atentado, pero sí estalló un motín durante su estancia en Montreal; se destacó la "calma y el valor de la Reina ante la violencia".

Isabel dio a luz a su tercer hijo, el príncipe Andrés, el 19 de febrero de 1960, que fue el primer nacimiento de un monarca británico reinante desde 1857. Su cuarto hijo, el príncipe Eduardo, nació el 10 de marzo de 1964.

Además de celebrar ceremonias tradicionales, la Reina también ha instituido nuevas prácticas. Su primer paseo real, en el que se reunía con el público, tuvo lugar durante una gira por Australia y Nueva Zelanda en 1970.

Aceleración de la descolonización

En los años 60 y 70 se aceleró la descolonización de África y el Caribe. Más de 20 países se independizaron de Gran Bretaña como parte de una transición planificada hacia el autogobierno. Sin embargo, en 1965, el primer ministro de Rodesia, Ian Smith, en oposición a los movimientos hacia el gobierno de la mayoría, declaró unilateralmente la independencia al tiempo que expresaba "lealtad y devoción" a Isabel, declarándola "Reina de Rodesia". Aunque la Reina lo destituyó formalmente y la comunidad internacional aplicó sanciones contra Rodesia, su régimen sobrevivió durante más de una década. A medida que los lazos de Gran Bretaña con su antiguo imperio se debilitaban, el gobierno británico intentó entrar en la Comunidad Europea, objetivo que consiguió en 1973.

La Reina realizó una gira por Yugoslavia en octubre de 1972, convirtiéndose en la primera monarca británica en visitar un país comunista. Fue recibida en el aeropuerto por el Presidente Josip Broz Tito, y una multitud de miles de personas la recibió en Belgrado.

En febrero de 1974, el primer ministro británico, Edward Heath, aconsejó a la Reina que convocara elecciones generales en medio de su gira por la cuenca del Pacífico austronésico, lo que le obligó a volar de vuelta a Gran Bretaña. Las elecciones dieron lugar a un parlamento dividido; los conservadores de Heath no eran el partido más numeroso, pero podían mantenerse en el cargo si formaban una coalición con los liberales. Cuando las discusiones para formar una coalición fracasaron, Heath dimitió como primer ministro y la Reina pidió al líder de la oposición, el laborista Harold Wilson, que formara gobierno.

Un año después, en plena crisis constitucional australiana de 1975, el primer ministro australiano, Gough Whitlam, fue destituido de su cargo por el gobernador general Sir John Kerr, después de que el Senado, controlado por la oposición, rechazara las propuestas presupuestarias de Whitlam. Como Whitlam tenía mayoría en la Cámara de Representantes, el Presidente Gordon Scholes apeló a la Reina para que revocara la decisión de Kerr. Ella se negó, diciendo que no interferiría en las decisiones reservadas por la Constitución de Australia al Gobernador General. La crisis avivó el republicanismo australiano.

Bodas de Plata

En 1977, Isabel conmemoró las bodas de plata de su acceso al poder. Se celebraron fiestas y eventos en toda la Commonwealth, muchos de ellos coincidiendo con sus giras nacionales y de la Commonwealth. Las celebraciones reafirmaron la popularidad de la Reina, a pesar de la cobertura negativa de la prensa, prácticamente coincidente, de la separación de la Princesa Margarita de su marido, Lord Snowdon. En 1978, la Reina soportó una visita de Estado al Reino Unido del líder comunista rumano, Nicolae Ceaușescu, y su esposa, Elena, aunque en privado pensaba que tenían "las manos manchadas de sangre". El año siguiente trajo consigo dos golpes: uno fue el desenmascaramiento de Anthony Blunt, antiguo inspector de los cuadros de la Reina, como espía comunista; el otro fue el asesinato de su pariente y pariente político Lord Mountbatten por el Ejército Republicano Irlandés Provisional.

Según Paul Martin Sr., a finales de los años 70 la Reina estaba preocupada porque la Corona "tenía poco significado para" Pierre Trudeau, el primer ministro canadiense. Tony Benn dijo que la Reina encontraba a Trudeau "bastante decepcionante". El supuesto republicanismo de Trudeau parecía confirmarse con sus payasadas, como deslizarse por las barandillas del Palacio de Buckingham y hacer piruetas a espaldas de la Reina en 1977, y la retirada de varios símbolos reales canadienses durante su mandato. En 1980, los políticos canadienses enviados a Londres para discutir la patriada de la Constitución canadiense encontraron a la Reina "mejor informada... que cualquiera de los políticos o burócratas británicos". Se mostró especialmente interesada tras el fracaso del proyecto de ley C-60, que habría afectado a su papel como jefa de Estado.

El escrutinio de la prensa y el liderazgo de Thatcher

Durante la ceremonia de Trooping the Colour de 1981, seis semanas antes de la boda del Príncipe Carlos y Lady Diana Spencer, se efectuaron seis disparos contra la Reina a corta distancia mientras cabalgaba por The Mall, Londres, en su caballo, Burmese. La policía descubrió más tarde que los disparos eran de fogueo. El agresor, Marcus Sarjeant, de 17 años, fue condenado a cinco años de prisión y liberado después de tres. La compostura de la Reina y su habilidad para controlar su montura fueron ampliamente elogiadas. En octubre, la Reina fue objeto de otro ataque durante una visita a Dunedin (Nueva Zelanda). Christopher John Lewis, que tenía 17 años, disparó con un rifle del 22 desde el quinto piso de un edificio con vistas al desfile, pero falló. Lewis fue detenido, pero no se le acusó de intento de asesinato ni de traición, y se le condenó a tres años de cárcel por posesión y disparo ilegal de un arma de fuego. A los dos años de su condena, intentó fugarse de un hospital psiquiátrico con la intención de asesinar a Carlos, que estaba de visita en el país con Diana y su hijo el príncipe Guillermo.

De abril a septiembre de 1982, el hijo de la Reina, el Príncipe Andrés, sirvió con las fuerzas británicas en la Guerra de las Malvinas, por lo que, según se dice, ella sintió ansiedad y orgullo. El 9 de julio, se despertó en su dormitorio del Palacio de Buckingham y encontró a un intruso, Michael Fagan, en la habitación con ella. En un grave fallo de seguridad, la asistencia sólo llegó tras dos llamadas a la centralita de la policía de Palacio. Tras recibir al presidente estadounidense Ronald Reagan en el castillo de Windsor en 1982 y visitar su rancho de California en 1983, la Reina se enfadó cuando su administración ordenó la invasión de Granada, uno de sus reinos caribeños, sin informarle.

El intenso interés de los medios de comunicación por las opiniones y la vida privada de la familia real durante la década de 1980 dio lugar a una serie de historias sensacionalistas en la prensa, no todas ellas del todo ciertas. Como dijo Kelvin MacKenzie, editor de *The Sun*, a su personal: "Dadme un domingo para que el lunes salpique a la realeza. No os preocupéis si no es cierto, siempre y cuando no se arme demasiado revuelo después". El director de un periódico, Donald Trelford, escribió en *The Observer* del 21 de septiembre de 1986: "El culebrón de la realeza ha alcanzado ahora tal grado de interés público que se ha perdido de vista el límite entre realidad y ficción... no es sólo que algunos periódicos no comprueben sus hechos o acepten desmentidos: no les importa si las historias son ciertas o no". Se informó, sobre todo en *The Sunday Times* del 20 de julio de 1986, de que la Reina estaba preocupada porque las políticas económicas de Margaret Thatcher fomentaban las divisiones sociales y estaba alarmada por el elevado desempleo, una serie de disturbios, la violencia de una huelga de mineros y la negativa de Thatcher a aplicar sanciones contra el régimen del apartheid en Sudáfrica. Entre las fuentes de los rumores se encontraban el asesor real Michael Shea y el Secretario General de la Commonwealth, Shridath Ramphal, pero Shea afirmó que sus comentarios fueron sacados de contexto y adornados por la especulación. Supuestamente, Thatcher dijo que la Reina votaría al Partido Socialdemócrata, rival político de Thatcher. El biógrafo de Thatcher, John Campbell, afirmó que "el reportaje era una pieza de malicia periodística". Las informaciones sobre la enemistad entre ambos fueron exageradas, y la Reina concedió dos condecoraciones en su regalo personal -la Orden del Mérito y la Orden de la Jarretera- a Thatcher tras su sustitución como primer ministro por John Major. Brian Mulroney, primer ministro canadiense entre 1984 y 1993, dijo que Isabel fue una "fuerza entre bastidores" para acabar con el apartheid.

En 1986, la Reina realizó una visita de Estado de seis días a China, convirtiéndose en la primera monarca británica que visitaba el país. La visita incluyó la Ciudad Prohibida, la Gran Muralla China y los Guerreros de Terracota. En un banquete de Estado, la Reina bromeó sobre el primer emisario británico en China que se perdió en el mar con la carta de la Reina Isabel I al Emperador Wanli, y comentó que "afortunadamente los servicios postales han mejorado desde 1602". La visita de la Reina significó también la aceptación por parte de ambos países de que la soberanía sobre Hong Kong sería transferida del Reino Unido a China en 1997.

A finales de la década de 1980, la Reina se convirtió en el blanco de la sátira. La participación de los miembros más jóvenes de la familia real en el concurso benéfico *It's a Royal Knockout* en 1987 fue ridiculizada. En Canadá, Isabel apoyó públicamente unas enmiendas constitucionales políticamente divisivas, lo que provocó las críticas de los opositores a los cambios propuestos, entre ellos Pierre Trudeau. Ese mismo año, el gobierno electo de Fiyi fue depuesto en un golpe militar. Como monarca de Fiyi, Isabel apoyó los intentos del Gobernador General, Ratu Sir Penaia Ganilau, de hacer valer el poder ejecutivo y negociar un acuerdo. El golpista Sitiveni Rabuka depuso a Ganilau y declaró a Fiyi una república.

Turbulentos años 90 y *annus horribilis*

Tras la victoria de la coalición en la Guerra del Golfo, la Reina se convirtió en la primera monarca británica en dirigirse a una reunión conjunta del Congreso de Estados Unidos en mayo de 1991.

El 24 de noviembre de 1992, en un discurso para conmemorar el jubileo de rubí de su llegada al trono, Isabel calificó 1992 como su *annus horribilis* (frase latina que significa "año horrible"). El sentimiento republicano en Gran Bretaña había aumentado debido a las estimaciones de la prensa sobre la riqueza privada de la Reina -descritas por el Palacio- y a los informes sobre aventuras y matrimonios conflictivos entre su extensa familia. En marzo, su segundo hijo, el príncipe Andrés, se separó de su esposa, Sara, y Mauricio destituyó a Isabel como jefa de Estado; su hija, la princesa Ana, se divorció del capitán Mark Phillips en abril; manifestantes furiosos lanzaron huevos a la reina en Dresde durante una visita de Estado a Alemania en octubre; y en noviembre se produjo un gran incendio en el castillo de Windsor, una de sus residencias oficiales. La monarquía se vio sometida a mayores críticas y al escrutinio público. En un discurso inusualmente personal, la Reina dijo que cualquier institución debe esperar críticas, pero sugirió que se hicieran con "un toque de humor, gentileza y comprensión". Dos días más tarde, el Primer Ministro John Major anunció planes de reforma de las finanzas reales, elaborados el año anterior, que incluían el pago del impuesto sobre la renta por parte de la Reina a partir de 1993 y una reducción de la lista civil. En diciembre, el príncipe Carlos y su esposa, Diana, se separaron formalmente. A finales de año, la Reina demandó *al* periódico *The Sun* por violación de los derechos de autor al publicar el texto de su mensaje anual de Navidad dos días antes de su emisión. El periódico se vio obligado a pagar sus honorarios legales y donó 200.000 libras a la caridad. Los abogados de la Reina habían demandado a *The Sun* cinco años antes por violación de los derechos de autor, después de que publicara una fotografía de su nuera la Duquesa de York y su nieta la Princesa Beatriz. El caso se resolvió con un acuerdo extrajudicial que condenaba al periódico a pagar 180.000 dólares.

En enero de 1994, la Reina se rompió el hueso escafoides de la muñeca izquierda al tropezar y caer el caballo que montaba en Sandringham House. En octubre de 1994, se convirtió en la primera monarca británica reinante en pisar suelo ruso. Durante la visita de cuatro días, que se considera uno de los viajes al extranjero más importantes del reinado de la Reina, ella y Felipe asistieron a actos en Moscú y San Petersburgo. En octubre de 1995, la Reina fue engañada en una llamada de broma por el locutor de radio de Montreal Pierre Brassard, que se hacía pasar por el primer ministro canadiense Jean Chrétien. La Reina, que creía estar hablando con Chrétien, dijo que apoyaba la unidad de Canadá y que intentaría influir en el referéndum de Quebec sobre las propuestas de separación de Canadá.

En el año siguiente, continuaron las revelaciones públicas sobre el estado del matrimonio de Carlos y Diana. En consulta con su marido y John Major, así como con el arzobispo de Canterbury, George Carey, y su secretario privado, Robert Fellowes, Isabel escribió a Carlos y Diana a finales de diciembre de 1995, sugiriendo que sería aconsejable el divorcio.

En agosto de 1997, un año después del divorcio, Diana murió en un accidente de coche en París. La Reina estaba de vacaciones con su familia en Balmoral. Los dos hijos de Diana, los príncipes Guillermo y Harry, querían ir a la iglesia, así que la Reina y el Duque de Edimburgo los llevaron esa mañana. Después, durante cinco días, la pareja real protegió a sus nietos del intenso interés de la prensa manteniéndolos en Balmoral, donde podían llorar en privado, pero el silencio y la reclusión de la familia real, y el hecho de no ondear una bandera a media asta en el Palacio de Buckingham, provocaron la consternación del público. Presionada por la reacción hostil, la Reina aceptó volver a Londres y dirigirse a la nación en una transmisión televisiva en directo el 5 de septiembre, el día antes del funeral de Diana. En la emisión, expresó su admiración por Diana y sus sentimientos "como una abuela" por los dos príncipes. Como resultado, gran parte de la hostilidad pública se evaporó.

En octubre de 1997, Isabel y Felipe realizaron una visita de Estado a la India, que incluyó una polémica visita al lugar de la masacre de Jallianwala Bagh para presentar sus respetos. Los manifestantes corearon "Reina asesina, vuelve", y se exigió que se disculpara por la acción de las tropas británicas 78 años antes. En el monumento conmemorativo del parque, ella y el Duque presentaron sus respetos depositando una corona de flores y guardando un minuto de -silencio de 30 segundos-. Como resultado, gran parte de la furia entre el público se suavizó y las protestas se cancelaron.

En noviembre de ese año, la Reina y su marido celebraron una recepción en Banqueting House para conmemorar sus bodas de oro. Isabel pronunció un discurso y elogió a Felipe por su papel de consorte, refiriéndose a él como "mi fuerza y estancia".

Jubileo de Oro

En la víspera del nuevo milenio, la Reina y el Duque de Edimburgo embarcaron en Southwark con destino a la Cúpula del Milenio. Antes de pasar por debajo del Tower Bridge, la Reina encendió el Faro Nacional del Milenio en el estanque de Londres con una antorcha láser. Poco antes de la medianoche, inauguró oficialmente la Cúpula. Durante el canto de *Auld Lang Syne*, la Reina se dio la mano con el Duque y el primer ministro británico Tony Blair.

En 2002, la Reina celebró su Jubileo de Oro, el 50º aniversario de su llegada al poder. Su hermana y su madre murieron en febrero y marzo respectivamente, y los medios de comunicación especularon sobre si el Jubileo sería un éxito o un fracaso. Volvió a emprender una extensa gira por sus reinos, empezando por Jamaica en febrero, donde calificó de "memorable" el banquete de despedida, después de que un corte de luz dejara a oscuras la Casa del Rey, residencia oficial del gobernador general. Al igual que en 1977, hubo fiestas callejeras y actos conmemorativos, y se nombraron monumentos en honor a la ocasión. Un millón de personas asistieron a cada uno de los tres días de la celebración principal del Jubileo en Londres, y el entusiasmo mostrado por la Reina por el público fue mayor de lo que muchos periodistas habían previsto.

En 2003, la Reina demandó *al Daily Mirror* por abuso de confianza y obtuvo una orden judicial que impedía al medio publicar la información recogida por un reportero que se hizo pasar por lacayo en el Palacio de

Buckingham. El periódico también pagó 25.000 libras esterlinas en concepto de gastos legales. Aunque en general ha gozado de buena salud durante toda su vida, en 2003 la Reina fue operada de ambas rodillas. En octubre de 2006, no asistió a la inauguración del nuevo estadio Emirates por una distensión muscular en la espalda que le venía molestando desde el verano.

En mayo de 2007, citando fuentes no identificadas, *The Daily Telegraph* informó de que la Reina estaba "exasperada y frustrada" por las políticas de Tony Blair, que le preocupaba que las Fuerzas Armadas británicas estuvieran sobrecargadas en Irak y Afganistán, y que había planteado a Blair su preocupación por las cuestiones rurales y del campo. Sin embargo, se dice que admira los esfuerzos de Blair por lograr la paz en Irlanda del Norte. En noviembre de 2007 se convirtió en la primera monarca británica en celebrar sus bodas de diamante. El 20 de marzo de 2008, en la catedral irlandesa de San Patricio, en Armagh, la Reina asistió al primer servicio religioso de Maundy celebrado fuera de Inglaterra y Gales.

Isabel se dirigió a la Asamblea General de la ONU por segunda vez en 2010, de nuevo en su calidad de Reina de todos los reinos de la Commonwealth y Jefa de la misma. El Secretario General de la ONU, Ban Ki-moon, la presentó como "un ancla para nuestra época". Durante su visita a Nueva York, que siguió a una gira por Canadá, inauguró oficialmente un jardín conmemorativo de las víctimas británicas de los atentados del 11 de septiembre. La visita de 11 días de la Reina a Australia en octubre de 2011 fue su 16ª visita al país desde 1954. Por invitación de la presidenta irlandesa, Mary McAleese, realizó la primera visita de Estado de un monarca británico a la República de Irlanda en mayo de 2011.

Jubileo de Diamante y longevidad

El Jubileo de Diamante 2012 de la Reina marcó 60 años en el trono, y las celebraciones se llevaron a cabo en todos sus reinos, en la Commonwealth y más allá. Ella y su marido realizaron una extensa gira por el Reino Unido, mientras que sus hijos y nietos se embarcaron en giras reales por otros estados de la Commonwealth en su nombre. El 4 de junio se encendieron los faros del Jubileo en todo el mundo. Durante su gira por Manchester como parte de las celebraciones del Jubileo, la Reina hizo una aparición sorpresa en una fiesta de bodas en el Ayuntamiento de Manchester, que entonces ocupó los titulares internacionales. En noviembre, la Reina y su marido celebraron su aniversario de bodas de zafiro azul (65º). El 18 de diciembre, se convirtió en la primera soberana británica en asistir a una reunión del Gabinete en tiempos de paz desde Jorge III en 1781.

La Reina, que inauguró los Juegos Olímpicos de Verano de 1976 en Montreal, también inauguró los Juegos Olímpicos y Paralímpicos de Verano de 2012 en Londres, lo que la convierte en la primera Jefa de Estado que inaugura dos Juegos Olímpicos en dos países. Para los Juegos Olímpicos de Londres, se interpretó a sí misma en un cortometraje como parte de la ceremonia de apertura, junto a Daniel Craig como James Bond. El 4 de abril de 2013, recibió un BAFTA honorífico por su mecenazgo en la industria del cine y fue calificada como "la chica Bond más memorable hasta la fecha" en la ceremonia de entrega.

El 3 de marzo de 2013, Isabel pasó la noche en el Hospital del Rey Eduardo VII por precaución tras presentar síntomas de gastroenteritis. Una semana después, firmó la nueva Carta de la Commonwealth. Debido a su edad y a la necesidad de limitar sus viajes, en 2013 decidió no asistir a la reunión bienal de Jefes de Gobierno de la Commonwealth por primera vez en 40 años. Estuvo representada en la cumbre de Sri Lanka por el príncipe Carlos. El 20 de abril de 2018, los jefes de gobierno de la Commonwealth anunciaron que será sucedida por Carlos como jefa de la Commonwealth, lo que ella declaró que era su "sincero deseo". Se sometió a una operación de cataratas en mayo de 2018. En marzo de 2019, dejó de conducir por las vías públicas, en gran parte como consecuencia de un accidente de tráfico en el que se vio envuelto su marido dos meses antes.

La Reina superó a su tatarabuela, la Reina Victoria, para convertirse en la monarca británica más longeva el 21 de diciembre de 2007, y en la monarca británica más longeva y en la reina regente y jefa de Estado más longeva del mundo el 9 de septiembre de 2015. Se convirtió en la monarca actual de mayor edad tras la muerte del rey Abdullah de Arabia Saudí el 23 de enero de 2015. Posteriormente, se convirtió en la monarca actual más longeva y en la jefa de Estado actual más longeva tras el fallecimiento del rey Bhumibol de Tailandia el 13 de octubre de 2016, y en la jefa de Estado actual de más edad tras la dimisión de Robert Mugabe el 21 de noviembre de 2017. El 6 de febrero de 2017 se convirtió en la primera monarca británica en conmemorar un Jubileo de Zafiro, y el 20 de noviembre fue la primera monarca británica en celebrar unas bodas de platino. Felipe se había retirado de sus funciones oficiales como consorte de la Reina en agosto de 2017.

Pandemia de COVID-19

El 19 de marzo de 2020, cuando la pandemia de COVID-19 asoló el Reino Unido, la Reina se trasladó al Castillo de Windsor y se refugió allí por precaución. Se cancelaron los compromisos públicos y el Castillo de Windsor siguió un estricto protocolo sanitario apodado "HMS Bubble". El 5 de abril, en una emisión televisada que vieron unos 24 millones de espectadores en el Reino Unido, pidió a la gente que "se consuele con que, aunque todavía tengamos que soportar más, volverán días mejores: volveremos a estar con nuestros amigos; volveremos a estar con nuestras familias; volveremos a encontrarnos". El 8 de mayo, en el 75º aniversario del Día de la Victoria, en una emisión televisiva a las 21:00 horas -la misma hora a la que su padre Jorge VI se dirigió a la nación el mismo día en 1945- pidió a la gente que "nunca se rindiera, nunca desesperara". En octubre, visitó el Laboratorio de Ciencia y Tecnología de Defensa del Reino Unido en Wiltshire, su primer compromiso público desde el comienzo de la pandemia. El 4 de noviembre, apareció enmascarada por primera vez en público, durante una peregrinación privada a la Tumba del Guerrero Desconocido en la Abadía de Westminster, para conmemorar el centenario de su entierro. En 2021, recibió su primera y segunda vacuna COVID-19 en enero y abril respectivamente.

El Príncipe Felipe falleció el 9 de abril de 2021, tras 73 años de matrimonio, lo que convierte a Isabel en la primera monarca británica que reina viuda desde la Reina Victoria. Al parecer, estuvo junto a su marido cuando éste falleció, y comentó en privado que su muerte había "dejado un enorme vacío". Debido a las restricciones de COVID-19 vigentes en Inglaterra en aquella época, la Reina asistió sola al funeral de Felipe, que suscitó la simpatía de personas de todo el mundo. En su programa de Navidad de ese año, rindió un homenaje personal a su "querido Felipe", diciendo: "Ese brillo travieso e inquisitivo era tan brillante al final como cuando le vi por primera vez".

A pesar de la pandemia, la Reina asistió a la apertura del Parlamento en mayo y a la 47ª cumbre del G7 en junio. El 5 de julio, en el 73º aniversario de la fundación del Servicio Nacional de Salud del Reino Unido, anunció que se concedería la Cruz de Jorge al NHS para "reconocer a todo el personal del NHS, pasado y presente, en todas las disciplinas y en las cuatro naciones". En octubre de 2021, comenzó a utilizar un bastón en sus compromisos públicos por primera vez desde su operación en 2004. Tras pasar una noche en el hospital el 20 de octubre, se cancelaron por motivos de salud las visitas a Irlanda del Norte, la cumbre COP26 en Glasgow y el Servicio Nacional de Conmemoración de 2021.

Jubileo de Platino

El 6 de febrero de 2022 comenzó el Jubileo de Platino de la Reina, que marca los 70 años desde que accedió al trono a la muerte de su padre. En la víspera de la fecha, ofreció una recepción en Sandringham House para pensionistas, miembros del Instituto de la Mujer local y voluntarios de organizaciones benéficas. En su mensaje del Día de la Ascensión, Isabel renovó su compromiso de servicio público de por vida, que había asumido originalmente en 1947.

Ese mismo mes, la Reina tuvo "síntomas leves de resfriado" y dio positivo en la prueba de COVID-19, al igual que algunos miembros del personal y de la familia. El 22 de febrero canceló dos audiencias virtuales, pero al día siguiente mantuvo una conversación telefónica con el Primer Ministro Boris Johnson en medio de la crisis en la frontera ruso-ucraniana, tras lo cual hizo una donación al Llamamiento Humanitario del Comité de Emergencia para Desastres (DEC) de Ucrania. El 28 de febrero, se informó de que se había recuperado y pasó un tiempo con su familia en Frogmore. El 7 de marzo, la Reina se reunió con el primer ministro canadiense, Justin Trudeau, en el castillo de Windsor, en su primer compromiso en persona desde su diagnóstico de COVID. Posteriormente comentó que la infección por COVID "le deja a uno muy cansado y agotado [...] No es un resultado agradable".

La Reina estuvo presente en el servicio de acción de gracias por el Príncipe Felipe en la Abadía de Westminster el 29 de marzo, pero no pudo asistir al servicio anual del Día de la Commonwealth ese mes ni al Servicio Real de

Cena en abril. No asistió a la apertura del Parlamento en mayo por primera vez en 59 años. (No asistió en 1959 y 1963 por estar embarazada del Príncipe Andrés y del Príncipe Eduardo, respectivamente). En su ausencia, el Parlamento fue inaugurado por el Príncipe de Gales y el Duque de Cambridge como Consejeros de Estado. El 17 de mayo, la Reina inauguró oficialmente la línea Elizabeth en el centro de Londres.

Durante las celebraciones del Jubileo de Platino, la Reina se limitó a hacer apariciones en los balcones y se perdió el Servicio Nacional de Acción de Gracias. Para el concierto del Jubileo, participó en un sketch con el oso Paddington, que abrió el evento fuera del Palacio de Buckingham. El 13 de junio de 2022 se convirtió en la segunda monarca más longeva de la historia entre las que se conocen las fechas exactas de su reinado, con 70 años y 127 días, superando al rey Bhumibol Adulyadej de Tailandia. En septiembre de 2022, nombró a su decimoquinta primera ministra británica, Liz Truss, en el castillo de Balmoral (Escocia), siendo la primera vez que no recibe a un nuevo primer ministro en el Palacio de Buckingham durante su reinado.

La Reina no tiene intención de abdicar, aunque asume menos compromisos públicos a medida que envejece y el Príncipe Carlos ha asumido más de sus obligaciones.

El deterioro de la salud

El 8 de septiembre de 2022, el Palacio de Buckingham anunció que la Reina estaba bajo supervisión médica en Balmoral después de que los médicos expresaran su preocupación. El comunicado decía: "Tras una nueva evaluación esta mañana, los médicos de la Reina están preocupados por la salud de Su Majestad y han recomendado que permanezca bajo supervisión médica. La Reina permanece cómoda y en Balmoral". Los cuatro hijos de la Reina, junto con el Príncipe Guillermo, el Príncipe Harry y Camilla, Duquesa de Cornualles, viajaron para estar con ella.

Percepción pública y carácter

Creencias, actividades e intereses

Elizabeth rara vez concede entrevistas y se sabe poco de sus sentimientos personales. No ha expresado explícitamente sus opiniones políticas en un foro público, y va en contra de las convenciones preguntar o revelar sus puntos de vista. Cuando el periodista *del Times* Paul Routledge preguntó a la Reina su opinión sobre la huelga de mineros de 1984-85, ella respondió que "todo se trataba de un hombre" (en referencia a Arthur Scargill), con lo que Routledge no estaba de acuerdo. Ampliamente criticado en los medios de comunicación por haber formulado la pregunta, Routledge dijo que inicialmente no iba a estar presente en la visita real y que desconocía los protocolos. Tras el referéndum de independencia de Escocia de 2014, el primer ministro David Cameron declaró que la reina estaba satisfecha con el resultado. Podría decirse que emitió una declaración pública codificada sobre el referéndum al decir a una mujer fuera de Balmoral Kirk que esperaba que la gente pensara "muy cuidadosamente" sobre el resultado. Más tarde se supo que Cameron le había pedido específicamente que hiciera constar su preocupación.

Isabel tiene un profundo sentido del deber religioso y cívico, y se toma en serio su juramento de coronación. Aparte de su papel religioso oficial como Gobernadora Suprema de la Iglesia de Inglaterra establecida, rinde culto a esa iglesia y también a la Iglesia nacional de Escocia. Ha demostrado su apoyo a las relaciones interconfesionales y se ha reunido con líderes de otras iglesias y religiones, incluidos cinco papas: Pío XII, Juan XXIII, Juan Pablo II, Benedicto XVI y Francisco. En su Mensaje de Navidad anual, transmitido a la Commonwealth, suele aparecer una nota personal sobre su fe. En el año 2000, dijo:

Para muchos de nosotros, nuestras creencias tienen una importancia fundamental. Para mí, las enseñanzas de Cristo y mi propia responsabilidad personal ante Dios proporcionan un marco en el que intento conducir mi vida. Yo, como muchos de ustedes, he obtenido un gran consuelo en tiempos difíciles de las palabras y el ejemplo de Cristo.

Isabel es patrona de más de 600 organizaciones y organizaciones benéficas. La Charities Aid Foundation calcula que Isabel ha contribuido a recaudar más de 1.400 millones de libras para sus patrocinios durante su reinado. Sus principales aficiones son la equitación y los perros, especialmente sus corgis galeses de Pembroke. Su amor por los corgis comenzó en 1933 con Dookie, el primer corgi de su familia. En ocasiones se han visto escenas de una vida doméstica relajada e informal; ella y su familia, de vez en cuando, preparan una comida juntos y lavan los platos después.

Representación mediática y opinión pública

En la década de 1950, cuando era una mujer joven al comienzo de su reinado, Isabel era representada como una glamurosa "reina de cuento". Tras el trauma de la Segunda Guerra Mundial, era una época de esperanza, un periodo de progreso y logros que anunciaba una "nueva era isabelina". La acusación de Lord Altrincham en 1957 de que sus discursos parecían los de una "colegiala mojigata" fue una crítica muy poco frecuente. A finales de la década de 1960, se intentó mostrar una imagen más moderna de la monarquía en el documental televisivo *Royal Family* y al televisar la investidura del Príncipe Carlos como Príncipe de Gales. Su guardarropa ha desarrollado un estilo reconocible y característico que se basa más en la funcionalidad que en la moda. Se viste pensando en lo que es apropiado, más que en lo que está de moda. En público, suele llevar abrigos de colores sólidos y sombreros decorativos, lo que le permite ser vista con facilidad entre la multitud. De su vestuario se encarga un equipo que incluye cinco modistas, una modista y un sombrerero.

En el Jubileo de Plata de la Reina, en 1977, las multitudes y las celebraciones fueron realmente entusiastas, pero, en la década de 1980, aumentaron las críticas públicas a la familia real, ya que la vida personal y laboral de los hijos de Isabel se sometió al escrutinio de los medios de comunicación. Su popularidad cayó en picado en la década de 1990. Bajo la presión de la opinión pública, comenzó a pagar el impuesto sobre la renta por primera vez, y el Palacio de Buckingham se abrió al público.

Aunque el apoyo al republicanismo en Gran Bretaña parecía más alto que en cualquier otro momento que se recuerde, la ideología republicana seguía siendo un punto de vista minoritario y la propia Reina tenía altos índices de aprobación. Las críticas se centraron en la propia institución de la monarquía y en la conducta de la familia de la Reina, más que en su propio comportamiento y acciones. El descontento con la monarquía alcanzó su punto álgido con la muerte de la antigua Princesa de Gales, Diana, aunque la popularidad personal de Isabel - así como el apoyo general a la monarquía- repuntó tras su transmisión televisiva en directo al mundo cinco días después de la muerte de Diana.

En noviembre de 1999, un referéndum celebrado en Australia sobre el futuro de la monarquía australiana se decantó por su mantenimiento en favor de un jefe de Estado elegido indirectamente. Muchos republicanos han atribuido a la popularidad personal de Isabel la supervivencia de la monarquía en Australia. En 2010, la primera ministra Julia Gillard señaló que existía un "profundo afecto" por la Reina en Australia y que otro referéndum sobre la monarquía debería esperar hasta después de su reinado. El sucesor de Gillard, Malcolm Turnbull, que lideró la campaña republicana en 1999, cree igualmente que los australianos no votarían para convertirse en una república mientras ella viva. "Ha sido una jefa de Estado extraordinaria", dijo Turnbull en 2021, "y creo que, francamente, en Australia hay más isabelinos que monárquicos". Asimismo, en los referendos de Tuvalu en 2008 y de San Vicente y las Granadinas en 2009, los votantes rechazaron las propuestas de convertirse en repúblicas.

Las encuestas realizadas en Gran Bretaña en 2006 y 2007 revelaron un fuerte apoyo a la monarquía, y en 2012, año del Jubileo de Diamante de la Reina, sus índices de aprobación alcanzaron el 90%. Su familia volvió a ser objeto de escrutinio en 2019 y a principios de la década de 2020 debido a la asociación de su hijo Andrew con los delincuentes sexuales convictos Jeffrey Epstein y Ghislaine Maxwell, su pleito con Virginia Giuffre en medio de acusaciones de impropiedad sexual, y la salida de su nieto Harry y su esposa Meghan de la monarquía y su posterior traslado a Estados Unidos. Aunque no es tan universal como antes, varias encuestas sugieren que la popularidad de la monarquía siguió siendo alta en Gran Bretaña durante el Jubileo de Platino, y la popularidad personal de la Reina siguió siendo particularmente fuerte. En 2021 seguía siendo la tercera mujer más admirada del mundo según la encuesta anual de Gallup, y sus 52 apariciones en la lista significaban que había estado entre las diez primeras más veces que cualquier otra mujer en la historia de la encuesta.

Elizabeth ha sido retratada en diversos medios por muchos artistas notables, como los pintores Pietro Annigoni, Peter Blake, Chinwe Chukwuogo-Roy, Terence Cuneo, Lucian Freud, Rolf Harris, Damien Hirst, Juliet Pannett y Tai-Shan Schierenberg. Entre los fotógrafos más destacados de Isabel se encuentran Cecil Beaton, Yousuf Karsh, Anwar Hussein, Annie Leibovitz, Lord Lichfield, Terry O'Neill, John Swannell y Dorothy Wilding. El primer retrato oficial de Isabel fue realizado por Marcus Adams en 1926.

Finanzas

La riqueza personal de Isabel ha sido objeto de especulación durante muchos años. En 1971, Jock Colville, su antiguo secretario privado y director de su banco, Coutts, estimó su riqueza en 2 millones de libras (equivalentes a unos 30 millones de libras en 2021). En 1993, el Palacio de Buckingham calificó las estimaciones de 100 millones de libras como "extremadamente exageradas". En 2002, heredó de su madre un patrimonio estimado en 70 millones de libras. El *Sunday Times Rich List 2020 estimó* su riqueza personal en 350 millones de libras, convirtiéndola en la 372ª persona más rica del Reino Unido. Fue la número uno de la lista cuando se inició en el Sunday Times *Rich List 1989*, con una riqueza reportada de 5.200 millones de libras, que incluía activos estatales que no eran suyos personalmente, (aproximadamente 13.800 millones de libras en valor actual).

La Colección Real, que incluye miles de obras de arte históricas y las Joyas de la Corona, no es de propiedad personal, sino que se describe como mantenida en fideicomiso por la Reina para sus sucesores y la nación, al igual que sus residencias oficiales, como el Palacio de Buckingham y el Castillo de Windsor, y el Ducado de Lancaster, una cartera de propiedades valorada en 472 millones de libras en 2015. Los Paradise Papers, filtrados en 2017, muestran que el Ducado de Lancaster tenía inversiones en los paraísos fiscales británicos de las Islas Caimán y Bermudas. La Casa de Sandringham en Norfolk y el Castillo de Balmoral en Aberdeenshire son propiedad personal de la Reina. El patrimonio de la Corona -con participaciones de 14.300 millones de libras en 2019- se mantiene en fideicomiso y no puede ser vendido ni poseído por ella a título personal.

Títulos, estilos, honores y armas

Títulos y estilos

- 21 de abril de 1926 - 11 de diciembre de 1936: *Su Alteza Real* la Princesa Isabel de York
- 11 de diciembre de 1936 - 20 de noviembre de 1947: *Su Alteza Real* la Princesa Isabel
- 20 de noviembre de 1947 - 6 de febrero de 1952: *Su Alteza Real* la Princesa Isabel, Duquesa de Edimburgo
- Desde el 6 de febrero de 1952: *Su Majestad* la Reina

Isabel ha tenido muchos títulos y cargos militares honoríficos en toda la Commonwealth, es soberana de muchas órdenes en sus propios países y ha recibido honores y premios en todo el mundo. En cada uno de sus reinos tiene un título distinto que sigue una fórmula similar: *Reina de Santa Lucía y de sus otros reinos y territorios* en Santa Lucía, *Reina de Australia y de sus otros reinos y territorios* en Australia, etc. En las Islas del Canal y la Isla de Man, que son dependencias de la Corona y no reinos separados, se la conoce como Duque de Normandía y Señor de Mann, respectivamente. Otros estilos son Defensor de la Fe y Duque de Lancaster.

Cuando se conversa con la Reina, la etiqueta correcta es dirigirse a ella inicialmente como *Su Majestad* y después como *Señora* (pronunciado), con una "a" corta como en la *mermelada*.

Armas

Desde el 21 de abril de 1944 hasta su adhesión, las armas de Isabel consistieron en un rombo con el escudo real del Reino Unido diferenciado con un rótulo de tres puntos argentos, el punto central con una rosa Tudor y el primero y el tercero con una cruz de San Jorge. En el momento de su ascensión, heredó las distintas armas que su padre poseía como soberano. La Reina también posee estandartes reales y banderas personales para su uso en el Reino Unido, Canadá, Australia, Nueva Zelanda, Jamaica y otros países.

CPSIA information can be obtained
at www.ICGtesting.com
Printed in the USA
LVHW081524270922
729402LV00018B/836